SACRAMENTO PUBLIC LIBRARY
828 "I" STREET
SACRAMENTO, CA 95814

08/2020

W9-CQO-290

Miguel Delibes
Cien años inventando personajes

1.ª edición: febrero 2020

© Del texto: Ramón García Domínguez, 2020
© De la ilustración: Albert Asensio, 2020
© De la fotografía de la página 86: *El Norte de Castilla*
© Del resto de fotografías: Fundación Miguel Delibes.
AMD, 121, 26; 120, 11; 121, 53; 120, 58; 126, 14.1.
© De esta edición: Grupo Anaya, S. A., 2020
Juan Ignacio Luca de Tena, 15. 28027 Madrid
www.anayainfantilyjuvenil.com
e-mail: anayainfantilyjuvenil@anaya.es

Diseño: Gerardo Domínguez

ISBN: 978-84-698-6574-3
Depósito legal: M-36812-2019
Impreso en España - Printed in Spain

Esta obra ha recibido una ayuda a la edición
del Ministerio de Educación, Cultura y Deporte.

PAPEL DE FIBRA
CERTIFICADO

*Reservados todos los derechos. El contenido de esta obra está protegido por la Ley,
que establece penas de prisión y/o multas, además de las correspondientes
indemnizaciones por daños y perjuicios, para quienes reprodujeren, plagiaren,
distribuyeren o comunicaren públicamente, en todo o en parte, una obra literaria,
artística o científica, o su transformación, interpretación o ejecución artística fijada
en cualquier tipo de soporte o comunicada a través de cualquier medio,
sin la preceptiva autorización.*

Miguel Delibes
Cien años inventando personajes

Ramón García Domínguez

Ilustración:
Albert Asensio

Índice

*Para la niña Savina, que bien podría convertirse
en un personaje infantil de Miguel Delibes,
y hasta participar en la fiesta de su centésimo
cumpleaños que en este libro se cuenta.*

Presentación
CIEN AÑOS

Miguel, el niño Miguel, Michi para la familia y amigos, ha cumplido cien años.

Y por eso ha reunido a un puñado de amistades de toda la vida para festejarlo. Para celebrar con ellos su fiesta de cumpleaños. ¡O más bien su fiesta de cumplesiglo, porque en 2020, insisto, ha cumplido Miguel cien años de edad, un siglo de edad!

—¡Eh, eh, quieto ahí! Ni sé quién eres ni sé por qué te metes donde no te llaman. Me basto y sobro para contar yo mismo cómo ha sido la fiesta, mi fiesta, y quiénes fueron los invitados.

Así es que empiezo de nuevo: me llamo Miguel, Miguel Delibes, mis hermanos suelen llamarme Michi, y en el año 2020 he cumplido cien años. Un siglo redondo y bien redondo.

¿Que si mis amigos tienen los mismos años que yo? Pues más o menos...

Pero ahora lo que me importa son dos cosas: la primera, proclamar y recalcar que he cumplido cien años: nací en 1920 y ya ha llegado el año 2020. Por lo tanto...

Y la segunda cosa que me importa, tanto o más que la primera, es que he preparado una fiesta de cumpleaños que va a hacer historia. ¡Un fiestón que ninguno de mis invitados olvidará jamás!

Y ahora lo que quiero es seguir emborronando las hojas de este cuaderno para contarlo todo de pe a pa. ¡Que para eso he sido escritor a lo largo de toda mi vida, que lo sepas!

Ah, que no se me olvide: todo lo que cuente aquí de mis amigos ya lo fui contando, de una u otra manera, en mis libros. Ahora será como recopilarlo y recordarlo con nostalgia, pero también con mucha alegría. Mucha, mucha, mucha alegría.

1. Pedro, mi amigo melancólico

A lo largo de toda mi vida he tenido muchos amigos. ¡Uf, incontables!

Y me apetece mucho hablar ahora de ellos. Recordarlos. No a todos, claro, que eso llenaría hojas y más hojas. Solo voy a hablar de los que más han significado para mí y a los que por eso he invitado a mi fiesta de cumpleaños.

Unos son amigos de carne y hueso y otros son amigos... ¿cómo diría yo? ¿Literarios? ¿Se entiende lo que quiero decir si digo amigos literarios? Yo creo que sí.

O también podría llamar amigos de carne y hueso a los unos, y amigos de «papel», amigos de libro a los otros. Y mira: voy a empezar precisamente por estos segundos. Aunque a lo mejor luego se mezclan y revuelven los unos con los otros, ya iremos viendo. Debo confesar que no tengo un plan muy... definido.

Pero el primero en llegar a mi fiesta de cumpleaños fue Pedro. Pedro había nacido en Ávila, la ciudad de las murallas, y es un chico muy sensible, yo diría que hasta pesimista. Aunque no es para menos, la vida le ha tratado mal, muy mal. Porque no hay cosa más triste y terrible en la vida que perder a la persona a la que más quieres.

Y eso le pasó a él. Pedro perdió a su amigo Alfredo, a quien quería con toda su alma. Eran los dos como uña y carne. Alfredo murió de una aguda pulmonía, propia, al menos en aquellos remotos tiempos, de la fría ciudad de Ávila.

Una noche de invierno, con toda la ciudad cubierta de nieve y con una luna brillante y redonda como un queso, decidieron ambos amigos hacer una excursión a un altozano con un templete de cuatro columnas de piedra, al que todos llaman los Cuatro Postes, y aquella aventura nocturna le costó la vida a Alfredo.

Pedro opina y ha opinado siempre que es más insufrible perder a un amigo que morirse uno mismo. Así se lo he oído más de una vez y más de dos. También suele decir que con cada ser querido que se te muere, a ti también se te muere una parte de ti.

La pérdida de su amigo Alfredo fue hace ya mucho, mucho tiempo, y en mi fiesta de cumpleaños Pedro ha estado bien, sereno, aunque siempre con un punto de melancolía y un poso de tristeza. De todos los amigos que he tenido a lo largo de mi vida y a lo largo de mis libros —los que yo he escrito y los que he leído—, es Pedro, sin duda alguna, el más melancólico.

Bueno, sigo, ¿quién más ha venido a mi cumpleaños? Intentaré que no se me olvide nadie. ¡¿Pero qué estoy diciendo?! ¿Cómo se me van a olvidar los amigos que estuvieron en mi centésimo cumpleaños? Ni los de carne y hueso ni los de «papel», los literarios. Uno por uno los recuerdo a todos.

Y ya que he empezado con el melancólico Pedro, voy a seguir con otro amigo de «papel» que también asistió a mi fiesta. Se llamaba y se llama Daniel.

2. Daniel, el Mochuelo

Algunos de mis amigos, tanto los de carne y hueso como los que he dado en llamar «literarios», han tenido y tienen un apodo. Un mote, quiero decir.

Aún me acuerdo, y mucho, de un compañero mío de colegio, del colegio de Lourdes de Valladolid, que se llamaba Ladislao García, pero al que todos llamábamos Ladis. Era un experto con el tirachinas, el mejor de todos. No había blanco que se le resistiese. Donde ponía el ojo ponía el proyectil del tirachinas. Sin fallar jamás.

Aunque estoy hablando de apodos, de motes, y ahora que lo pienso Ladis no era un mote, era solo una abreviatura de su nombre de pila. De Ladislao, Ladis.

El que sí era mote, y bien... expresivo, era el de mi segundo amigo literario que ha estado también en mi fiesta de cumpleaños. Me refiero a Daniel, un chico de pueblo del que me hice amigo en unas vacaciones de verano. Y a quien todos, en el pueblo, llamaban el Mochuelo. Daniel, el Mochuelo. Nombre y apodo siempre juntos, como si el mote fuera su apellido.

¡Uf, es que en los pueblos, cuando yo era chico, y yo diría que todavía ahora, aunque menos, en los pueblos, digo, de un mote no se libra nadie o casi nadie!

Los otros dos amigos más amigos de Daniel, sin ir más lejos, se apodaban el Moñigo y el Tiñoso. No voy a fijarme sin embargo en tales apelativos ni en su significado, pero sí en el de Daniel. ¿Por qué le pusieron en el pueblo el sobrenombre de Mochuelo?

Pues quizá por su manera de mirar las cosas, manera que Daniel aún conserva. Fija la mirada casi sin pestañear, muy concentrado en lo que ve, con cara de asombro y casi, casi de susto. Sí, eso es. Tiene los ojos redondos y grandes y mira... ¡pues eso, como un mochuelo! Dicho queda.

Y volviendo al trío de amigos del pueblo donde yo veraneaba, lo formaban Daniel, el Mochuelo, Roque, el Moñigo y Germán, el Tiñoso. Un trío inseparable. Yo al que más he conocido ha sido a Daniel, aunque también corrí alguna que otra aventura, por no llamarla travesura, o mejor aún trastada, con los tres juntos, en algunas de mis vacaciones veraniegas en su pueblo.

Luego Daniel, el Mochuelo, se vino a estudiar a la ciudad y es cuando nos hicimos más amigos, y por eso ha estado en mi centésimo cumpleaños. Y precisamente en esa fiesta recordamos juntos algunas aventuras del pueblo, y en especial una de la que yo fui testigo.

Salimos una tarde de verano a dar un paseo por los alrededores de la aldea y recuerdo ahora mismo, como si lo tuviera delante, el gigantesco Pico Rando, dominando el valle. No había lugar en todo el pueblo desde donde no se divisara el Pico Rando.

Pero a lo que iba: andábamos de paseo de aquí para allá cuando, de pronto, se le ocurre a Roque el Moñigo, la idea más descabellada que yo había escuchado nunca:

—¿Vamos al túnel? —preguntó de repente.

—¿Otra vez? —replicó Germán el Tiñoso.

Y es que al túnel iban los tres amigos con alguna frecuencia. Se metían dentro, en lo más oscuro, y esperaban, impertérritos, el paso del tren mixto o de algún otro tranvía.

—No, otra vez no —contestó, tajante, Roque—. Esta vez va a ser distinto, un nuevo experimento. Vamos a esperar al tren dentro del túnel y además en cuclillas, con los pantalones bajados y haciendo de vientre.

Hubo un silencio interrogativo e incrédulo de todos los presentes. Incluido yo. Aunque yo no dije nada, no solía meterme en los asuntos de aquellos muchachos; yo al fin y al cabo era un forastero. Ellos mismos trataban siempre de protegerme y ni siquiera me dejaron entrar en el túnel, no me fuera a pasar algo y les echaran a ellos la culpa.

Fue Daniel, el Mochuelo, el que puso algunas pegas a la ocurrencia de Roque de hacer de vientre mientras pasaba el tren.

—¿Y el que no tenga ganas...? —dejó caer.

—Las sentirá en cuanto oiga acercarse la locomotora —arguyó el Moñigo contundente.

El detalle que descuidaron los tres amigos fue dónde y cómo dejar los pantalones durante el experimento. De haber atado este cabo, nada se hubiera descubierto de la trastada. Pero no lo ataron. El de los calzones, digo.

«El tren entró en el túnel silbando, bufando, echando chivitas, haciendo trepidar los montes y las piedras.

Los tres amigos estaban pálidos, en cuclillas, con los traseros desnudos a medio metro de la vía. Daniel, el Mochuelo, sintió que el mundo se dislocaba bajo sus plantas.

La locomotora pasó bufando a su lado y una vaharada cálida de vapor le lamió el trasero».

Por encima del fragor del hierro y la velocidad encajonada, resonó la advertencia del Moñigo:

—¡Agarraos a las rodillas!

Así lo hicieron los tres amigos: se agarraron las rodillas, cerraron los ojos, hicieron fuerza con las tripas y tan pronto como pasó el tren, soltaron una carcajada de triunfo. Carcajada que se mezcló con las toses a causa del humo de la locomotora.

Mas cuando se calmaron las risas y las toses, se dieron cuenta de que los tres pantalones habían desaparecido. No estaban donde ellos los habían depositado.

Les ayudé a buscarlos y nada. ¿Qué había pasado? Que el rebufo del tren los había engullido y los había hecho girones. Que habían quedado convertidos en una piltrafa, vaya.

Y no quedó otro remedio que volver al pueblo en cueros vivos. O al menos con el culo al aire, dicho bien y pronto. Menos yo, claro.

—Aunque si te soy sincero —le confesé a Daniel el otro día, en mi centenaria fiesta de cumpleaños—, no me hubiera importado desnudarme yo también para hacer causa común con vosotros. Los amigos están para las ocasiones. Para las duras y para las maduras.

También estuve a punto de recordarle y preguntarle a Daniel, el Mochuelo, el otro día, por una niña amiga suya que también conocí cuando estuve en su pueblo. La llamaban Uca-Uca y seguía a Daniel a todas partes como si fuera su sombra. Tenía pecas en la cara, lo recuerdo muy bien, y una mujer del lugar, a la que habían puesto de mote la Guindilla, quería quitárselas. Y Daniel estaba empeñado en que no se las quitase. Y hasta oí que le decía muchas veces a la niña, con voz muy tierna, suplicante, pero también autoritaria: «Uca-Uca, no dejes que la Guindilla te quite las pecas, ¿me oyes? ¡No quiero que te las quite!».

Quise preguntarle a Daniel por la niña, por su amiga Uca-Uca, pero al final no me atreví. Hay cosas que son muy personales y mejor no entrometerse.

3. Manolo, el poeta

También Manolo, mi amigo Manolo, ha estado en mi fiesta de cumpleaños. Me refiero a mi amigo el poeta. Así lo llamábamos todos en el colegio de Lourdes de Valladolid. Los dos estudiamos allí de niños.

Porque Manolo, al contrario de los que vengo hablando hasta ahora, no es un amigo «literario», es un amigo de carne y hueso. ¡Aunque más literario que él, nadie!

Me explico: él era, vuelvo a repetir, poeta. Y además no tenía ningún rubor en confesarlo ni en ejercer de poeta.

«Si cierro los ojos, veo a Manolo, sentado en la papelera del rincón, en el gran patio hirviente de voces, con un lápiz en la mano, abstraído, mientras sus compañeros nos zurrábamos la badana con las bufandas trenzadas, o jugábamos un partido de pelota china.

Sentado en el murete de la papelera, las botas balanceándose, Manolo anotaba un verso, corregía una palabra o titulaba un poema. Pasó años difíciles en el colegio —por la incomprensión y hasta hostilidad de los demás, claro—, pero su amor a la poesía, su práctica, le compensaba de esta hostilidad.

Un día, apenas cumplidos los once años, me leyó furtivamente un poema. Empezó tímidamente, con su inseguridad habitual:

—Envuelto en mi sayal de peregrino… ¿Qué te parece, Michi?

—Sayal… No sé lo que es un sayal, Manolo. Empleas unas palabras muy raras».

Yo fui luego escritor, sí, pero en aquellos tiempos infantiles mis aficiones estaban muy lejos de las letras y de la literatura. Mi *hobby* por entonces era el dibujo, la caricatura sobre todo; y mi afición, mi pasión desmedida y descontrolada, era el futbol. ¡El fútbol, el fútbol y el fútbol!

No es que yo fuera un niño especialmente jaranero, al revés, fui un niño retraído, tendente incluso a la soledad. Solo el fútbol me sacaba de esa actitud apartadiza y me hacía integrarme en la comunidad infantil.

El fútbol, para mí, a los doce años, estaba en todas partes, lo impregnaba todo, era casi como Dios: una presencia constante. Jugaba al fútbol en el colegio, en la calle, en el Paseo Central del Campo Grande, incluso en casa, con mis hermanos y con un balón de trapo o de papel arrebujado.

Manolo no, nunca. Él era poeta y no podía distraerse pegando patadas a una pelota.

El otro día, en mi centenaria fiesta de cumpleaños, le planteé precisamente esta pregunta:

—Tú, Manolo, ¿no recuerdas haber jugado alguna vez al fútbol?

Se rio entre dientes y me contestó:

—No, nunca.

Y ahora nos reímos los dos. Pero él, entonces, me formuló a mí otra pregunta:

—Y ahora, Michi, ¿ya sabes qué significa la palabra... sayal?

Más risas a coro. Y más recuerdos compartidos de aquellos lejanos tiempos infantiles. Manolo, Manuel Alonso Alcalde, que tal era y es su nombre completo, llegó a confesarme la otra tarde que fui la única persona, el único niño que le comprendió, que comprendió su vocación poética. Vocación, dijo.

Y retomo ahora lo que ya dejé caer al comenzar a evocar y recordar mi fiesta de cumpleaños y a mis amigos asistentes: que se mezclarían, casi seguro, los de «papel», los literarios y los de carne y hueso. Manolo fue uno de ellos, de carne y hueso. Y con un corazón que no le cabía en el pecho.

Ah, y que no se me olvide: Manuel Alonso Alcalde no fue solo poeta de niño, lo fue a lo largo de toda su vida. Un excelso, sensible y luminoso poeta.

4. El Nini sabelotodo

Yo he tenido amigos muy listos. Pero ninguno como el Nini. ¡Que también ha estado en mi fiesta de cumpleaños!

El Nini es otro de mis amigos a los que llamo «literarios» o de libro.

Aunque repito que para mí todos son iguales, los amigos de papel y los de carne y hueso.

Yo diría que ni los distingo.

El Nini nunca supe cómo se llamaba en realidad. Ni lo he sabido yo ni lo ha sabido nadie. Le hemos llamado siempre Nini y sanseacabó.

También era un chico de pueblo, como el Mochuelo. Como Daniel, el Mochuelo, quiero decir. Pero la peculiaridad del Nini es que era más listo que listo. Un sabelotodo, para que se me entienda. Aunque no un sabelotodo que aprendía en los libros, sino un sabelotodo que aprendía al aire libre, en la naturaleza.

También Daniel, el Mochuelo, sabía mucho de lo que le rodeaba, del mundo natural, de los pájaros, de los árboles y las plantas, de las estaciones del año... Pero el Nini sabía más, mucho más.

Sabía y anunciaba la llegada de las golondrinas, de las cigüeñas, presentía y adivinaba cuándo iba a ocurrir alguna catástrofe natural, dígase una helada negra que quemaba las espigas del trigo, dígase una granizada que destrozaba así mismo los campos de mies, o una sequía pertinaz que todo lo agostaba.

Aprendió desde muy crío a acechar a los erizos y a los lagartos, a distinguir un rabilargo de un azulejo, una zurita de una torcaz.

Sabía como nadie seguir la pista de los sisones, de la comadreja, del alcaraván.

¿Que cómo sabía todas esas cosas? Ajá: el saber lo que sabía se lo debía el Nini a su espíritu observador. Repito y recalco: a su es-pí-ri-tu ob-ser-va-dor.

El Nini prestaba atención, muchísima atención, a todo lo que ocurría a su alrededor: en el monte, en el llano, junto al río, en el altísimo cielo, donde el niño adivinaba, por las nubes o por los claros, qué iba a suceder en breve.

Pero es que el Nini, además de prestar atención a la naturaleza y al campo, lo hacía asimismo con el tío Rufo, el Centenario, que ese era su mote en el pueblo.

El tío Rufo, el Centenario, sabía mucho por su larga vida, y además casi todo lo decía con refranes y acertijos llenos de sabiduría e intuición.

El Nini escuchaba con sus cinco sentidos y, a pesar de ser un niño chico, yo diría que llegó a saber tanto como el viejo.

Y por eso todos los vecinos del pueblo le preguntaban sobre esto y sobre lo otro: que cuándo había que sembrar los campos, que cuándo había que matar el cerdo, que cuándo iban a cucar las nueces...

—Este Nini todo lo sabe, parece Dios —decían las mujeres de la aldea.

Aunque había una cosa de la que el Nini ni sabía ni le interesaba saber: de las cosas inventadas. Eso.

Ocurrió una vez que el tractor de un agricultor rico del lugar se estropeó de repente y fue a preguntar al Nini si también sabía de cosas de mecánica, de carburadores y todo eso. El Nini fue rotundo: «No, señor Rosalino —que así se llamaba el tractorista—, de eso no sé, eso es inventado».

El Nini, además, era un niño muy reconcentrado. Digamos que hasta serio. En la aldea tenía fama de que no se reía nunca. Pero eso no era verdad. Lo que pasa es que el Nini nunca se reía sin ton ni son. Sabía cuándo se reía y por qué se reía.

Se reía siempre al aire libre, y además con risas bien sonoras, a pleno pulmón. Y también se rio, y con qué ganas, en mi fiesta de cumpleaños del otro día. No paró de reírse ni de gastar bromas.

Yo, en un momento de la fiesta, me acordé de repente y le pregunté por su perra. Una perra que se llama Fa.

—¿Fa? —preguntó uno de los amigos invitados—. ¿Solo Fa?

—Sí, Fa —contestó el Nini.

—Pues yo tengo un perro —dijo otro invitado— que se llama Lucero.

—¿Lucero? —saltó el Nini—. No me gusta.

—¿No te gusta?

—No, es un nombre demasiado largo.

Así es el Nini. Y cuando dice una cosa por algo la dice.

5. El Senderines y su corpulento padre

Al Senderines solo lo conocí de oídas. En realidad, nunca lo había visto en persona hasta que vino hace unos días a mi fiesta.

Pero sí que había oído hablar de él. Y por lo que fui sabiendo me pareció un chico tan desamparado, tan solitario, tan desvalido, que me dije a mí mismo: este no puede faltar a mi centésimo cumpleaños. A ver si entre mis amigos y yo logramos levantarle los ánimos y alegrarle un poco la vida.

Pero fíjate que estoy queriendo acordarme de quién fue el que me habló por primera vez del Senderines, hace un montón de tiempo, y no logro... ¡Ah, sí, sí, ahora caigo! Fue mi padre.

Mi padre era cazador y en sus salidas al campo los domingos conoció en la taberna de un pueblo a otro cazador de la comarca, que se llamaba Conrado, y el tal Conrado le habló del Senderines. Y luego mi padre, que se llama Adolfo, me habló del Senderines a mí.

¡Qué personaje, el bueno del Senderines! A mi padre, y luego a mí, nos conmovió mucho su personalidad, y nos conmovió e impresionó más que nada cuando

Conrado le contó a mi padre la muerte del padre del Senderines.

El padre del Senderines se llamaba Trinidad. Y pesaba más de cien kilos. Era un hombre gigantesco. A su hijo, al Senderines, no le parecía nada bien que su padre se llamara Trinidad. Decía que era nombre de mujer. Y a lo mejor por eso todo el mundo le llamaba Trino.

Y Trino era tan corpulento que le producía un cierto temor y temblor al Senderines con solo mirarlo. Sobre todo, porque él era todo lo contrario: un niño flacucho y debilucho. Y también lleno de miedos: le daba miedo la oscuridad y le daban miedo unos peces muy voraces que había en un estanque cercano a su casa. A la casa donde vivían, solos, el Senderines y su padre Trino.

Porque el Senderines era huérfano de madre. Ella había muerto siendo él tan niño que ni la recordaba. Y con la muerte de su madre el niño quedó más desamparado que nunca. Y, también, más lleno de miedos.

Su gigantesco padre le recriminaba constantemente este apocamiento y repetía una y otra vez que los hombres no tienen que tener miedo a nada.

Pero lo más triste y terrible de esta historia, según le contó también a mi padre el señor Conrado, fue la muerte del padre del Senderines.

Volvió un día a casa, se tumbó en la cama y el Senderines, su hijo, al cabo de un rato, lo encontró muerto. Muerto encima de la cama y desnudo. Completamente desnudo.

Y al niño Senderines le impresionó más la desnudez de su padre que su muerte. Y toda su preocupación, toda su obsesión fue vestirlo. Ponerle por lo menos los pantalones. No quería avisar a nadie, ni siquiera a Conrado, amigo de la casa y que era quien había contado esta historia a mi padre, sin haber puesto antes los pantalones a su padre.

Cómo iba a dar aviso a nadie de que su padre había muerto, para que viniera la gente y lo encontrase desnudo encima de la cama.

Pero claro, para vestirlo, para ponerle los pantalones y a lo mejor también una camisa, había que moverlo. Y Trino, el padre del Senderines, pesaba más de cien kilos y el Senderines era un niño enclenque y sin apenas fuerzas.

Lo intentó una y mil veces, de una y mil maneras. Pero todo inútil. No lograba ni levantar un palmo una sola pierna para encajar una pernera del pantalón.

Al final, quien ayudó al pobre y desvalido Senderines fue un vagabundo que pasó por el lugar, al que llamaban de mote el Pernales, y que vendía de pueblo en pueblo no me acuerdo qué.

Todo esto lo supe por mi padre, como ya he dicho, y fue esa historia la que me empujó a invitar al Senderines a mi fiesta de cumpleaños. E incluso luego, pasado el tiempo, cuando ya me hice escritor, conté la historia del niño Senderines en un cuento titulado *La mortaja*. O sea, que convertí al Senderines en personaje y por ende en amigo mío.

Así que estuvo en mi cumpleaños con todos los derechos y méritos. Y en la fiesta fue cuando le conocí en persona por primera vez. No quería él recordar nada de aquel lejano pasado, pero sí que me contestó cuando le pregunté por qué se llamaba Senderines y si no tenía un nombre y apellido como todo el mundo.

Me contó que su padre siempre le llamó Senderines y que nunca quiso explicarle por qué le llamaba así. Algo parecido a lo que le pasaba al Nini, del que he hablado antes.

Luego pasó el rato, el Senderines se fue animando y me contó, bueno, nos contó a todos los presentes, que lo que más le gustaba eran dos cosas: atrapar luciérnagas por la noche, y cuanto más brillantes mejor, y chocar dos piedras de pedernal la una contra la otra para hacer saltar chispas.

Aunque lo mejor, lo mejor de todo, fue cuando nos preguntó si queríamos que nos enseñase a escupir por el colmillo. A él se lo había enseñado el Pernales, el vagabundo que le ayudó a vestir a su padre muerto, y que además decía, el Pernales, que el que sabía escupir por el colmillo ya podía caminar solo por la vida. Eso mismo decía el Pernales.

Y como a todos mis amigos y a mí nos gustó la idea, la idea de aprender a escupir por el colmillo, bajamos un rato a la calle, nos metimos entre las frondas del parque del Campo Grande, y el Senderines, eufórico, nos enseñó a escupir por el colmillo.

—Mirad, es muy fácil, se entreabre un poco la boca, se pone la lengua entre los dientes de arriba y los de abajo, juntas saliva, cuanta más mejor, y ¡zas!, la lanzas con todas tus fuerzas por entre el colmillo izquierdo y...

—¿Y tiene que ser el colmillo izquierdo? —preguntó no me acuerdo quién, interrumpiendo la explicación del Senderines.

El Senderines no contestó. Escupió por el colmillo de forma magistral y dijo luego:

—Sí.

6. Isidoro con su cara de pueblo

También he invitado a mi centésimo cumpleaños a Isidoro, un chico que primero fue de pueblo, luego de ciudad y al final se hizo internacional. Me explico.

Isidoro vivió toda su niñez en una aldea muy pequeña de Castilla, de lo que antes se llamaba Castilla la Vieja, hasta que un día lo mandaron a estudiar el bachillerato a la ciudad.

Sí, eso es, algo parecido a lo que le había pasado a Daniel, el Mochuelo. Es que en los pueblos solo había entonces una pequeña escuela rural, y para cursar estudios más... superiores, el bachillerato por ejemplo, había que emigrar a la capital.

Pero al bueno de Isidoro se le notaba mucho que era de pueblo, no sé si por sus modales, por sus ropas, o por la nostalgia y los recuerdos que se le escapaban por los ojos. Y le dolía en lo más hondo de su corazón que los compañeros de clase le tachasen de pueblerino, o que incluso no le dejaran jugar en el patio a la pelota china o al marro solo por eso, porque era de pueblo.

Pero lo que más le dolió fue cuando el profesor de Aritmética y Geometría, una tarde en que Isidoro no atinaba a resolver un problema de ángulos en la pizarra, le dijo con cierta sorna y retintín: «Anda, siéntate, que llevas el pueblo escrito en la cara».

Yo coincidí con él en algún curso del bachillerato, y me daba mucha pena el bueno de Isidoro. Para él ser de pueblo se le hacía cada vez más una desgracia, y por eso se esforzaba un montón en disimularlo.

Pero lo que son las cosas y qué de vueltas da la vida. Años más tarde, Isidoro emigró nada menos que a América, a Panamá, y cuando regresó al cabo de más de cuarenta años, me topé casualmente con él en una calle de la capital, nos reconocimos no recuerdo cómo ni por qué, y me contó que estaba a punto de tomar un autobús para regresar a su pueblo.

—¡Y no sabes las ganas que tengo, Miguel, no te lo puedes ni imaginar! —me soltó casi a voz en cuello.

Y no es que ya no tuviera miedo de que notasen que era de pueblo, sino que estaba deseando que tal cosa ocurriese.

—No sabes —me siguió contando con cada vez más encendido entusiasmo— la de veces que yo soltaba, allende el mar, que yo era de pueblo, de un pueblo pequeño de Castilla, y la de veces que se me escapaban frases siempre con este mismo arranque: «Allá en mi pueblo...». «Allá en mi pueblo, las cosas se hacen así o de la otra manera»; «allá en mi pueblo, las gentes visten de tal forma o de tal otra»; «allá en mi pueblo, la tierra y el agua son tan calcáreas que los pollos se asfixian dentro

del huevo sin llegar a romper el cascarón». —Y se reía jubiloso con este último comentario.

»Total —concluyó Isidoro ya con el pie en el estribo del autobús de línea que había de llevarle al pueblo—, que allí, tan lejos, empecé a darme cuenta de que ser de pueblo era un don de Dios y que ser de ciudad era un poco como ser inclusero.

Eso mismo dijo y afirmó con todo convencimiento.

Luego ya no lo volví a ver. A Isidoro, digo.

Hasta que, días atrás, haciendo la lista de los amigos, de papel (de libro) o de carne y hueso que me gustaría que me acompañasen en mi centésimo cumpleaños, me saltó a la memoria y a la punta del bolígrafo el nombre de Isidoro.

Y vino. Y lo primero que me dijo, entre bromas y veras, nada más entrar en mi casa y darme las gracias por la invitación, fue que no sabe cuánto daría ahora mismo porque alguien le dijese, lo mismo que aquel profesor de Aritmética y Geometría de antaño: «Isidoro, llevas el pueblo escrito en la cara».

Y los dos, Isidoro y yo, nos reímos con ganas. Y nos abrazamos también.

7. Gervasio y su *ostento*

Otro amigo más en mi fiesta de cumpleaños, de mi centésimo cumpleaños, fue Gervasio García de la Lastra, vallisoletano como yo. Coetáneos ambos y con muy parecidos devenires biográficos. Dos vidas paralelas, por decirlo bien y pronto.

Aunque la de Gervasio de libro, de «papel»; mientras la mía de carne y hueso, como salta a la vista.

Pero como ya vengo diciendo y repitiendo en este cuaderno, para mí los unos y los otros se confunden: los amigos visibles y palpables y los amigos solo imaginados.

Gervasio García de la Lastra ha llevado una vida muy pareja y similar a la mía, eso ya lo he dicho, nos parecíamos incluso físicamente.

Por lo demás, Gervasio solo tuvo y tiene una hermana, Florita, y yo he tenido y tengo siete hermanos, que conmigo suman ocho.

Así es que cuando yo iba a casa de Gervasio, el caserón donde vivía parecía el reino del orden y el silencio. Mientras que mi casa, con tanto personal bajo su techo, siempre fue el reino del alboroto y el barullo.

Aunque no era esa la única diferencia entre Gervasio y yo, la del número de hermanos, digo. Había otra diferencia muy notable y muy... chocante.

Eso.

Gervasio, ya desde niño, manifestó una peculiaridad que yo nunca tuve. Ni yo ni ninguno de mis amigos, de nuestros amigos comunes, de Gervasio y míos. Que hemos tenido unos cuantos, por cierto.

La peculiaridad de Gervasio era una peculiaridad fisiológica, anatómica, podríamos llamarla, a la que alguien le puso el nombre de «ostento».

¡Menuda palabreja, ¿no?!

Ostento: la buscas en el diccionario y apenas si te enteras de lo que quiere decir. «Fenómeno que denota prodigio de la naturaleza o cosa milagrosa o monstruosa». Eso mismo pone, que lo compruebe quien no se lo crea.

Pues el «ostento» de Gervasio nunca supimos si fue algo milagroso o monstruoso, yo diría que ninguna de las dos cosas, pero sí un prodigio de la naturaleza. Un prodigio o fenómeno que consistía en que, cada vez que escuchaba una música o marcha militar, se le ponían los pelos de punta, se le erizaban, y de qué manera, los cabellos del cogote.

Daba un poco de risa verlo, aunque como los amigos sabíamos que a Gervasio le daba mucho enfado y rabia el involuntario fenómeno que le sobrevenía, procurábamos no reírnos e incluso quitarle importancia.

Aunque ya pasado el tiempo, mucho tiempo, en la fiesta de mi centésimo cumpleaños de hace unos días, el propio Gervasio nos hizo reír a todos cuando recordó las veces que de muchachos íbamos al cine y en la película salían desfiles militares, con sus correspondientes y trepidantes músicas marciales. Todos mirábamos de reojo a Gervasio y no había vez que los pelos de su cogote no se erizasen automáticamente, como accionados por un resorte.

Claro que como la sala del cine estaba a oscuras nadie se daba cuenta del fenómeno. Solo nosotros, los amigos. Y entonces nos guiñábamos un ojo y conteníamos la risa.

Y también recordó el otro día Gervasio aquella ocasión en que fuimos los amigos a presenciar un desfile del ejército español, y cuando desfiló ante nosotros la legión, con su estruendo de trompetas y tambores, se le pusieron a Gervasio de punta los pelos de la coronilla, pero de forma tan repentina y violenta que la gorra que llevaba en la cabeza salió disparada por los aires.

Se lanzó Luis María Ferrández como un rayo a recogerla, mientras todos los demás amigos hacíamos un corro en torno a Gervasio para evitar que nadie cayera en la cuenta del «ostento» y se riese de él.

Pero lo cierto es que en esta historia que estoy contando, y que ahora el propio protagonista recordaba con humor, hubo algo que fue lo que más dolió e hizo sufrir al sensible Gervasio. Y fue la interpretación que dieron al fenómeno capilar, al de los pelos de punta, algunos miembros de su propia familia. Principalmente su tío Felipe Neri, militar de toda la vida.

Cuando contempló por primera vez los pelos de punta del colodrillo de su sobrino Gervasio, alzó la voz asegurando que aquello era una señal del cielo, un presagio de que aquel niño llegaría a ser un héroe.

—¡Este niño tiene madera de héroe! —vaticinó el tío Felipe Neri.

Y Gervasio se asustó mucho al oír a su tío. Se asustó tanto o más que del propio fenómeno que acababa de sufrir.

Y el otro día, entre las bromas y veras de mi centésimo cumpleaños, Gervasio recordó aquellos lejanísimos tiempos y le oímos que murmuraba:

—¡Venga ya, yo *madera de héroe*, lo que hay que oír!

8. Mis amigos más amigos

Todos cuantos hasta ahora han salido en las hojas de este cuaderno son mis amigos más amigos. Todos.

Pero hoy voy a hablar de los amigos de carne y hueso, amigos de ver y abrazar, que me han acompañado a lo largo de toda mi vida. Por ejemplo, de Luis María Ferrández, que lo he nombrado hace bien poco recogiendo del suelo la visera de Gervasio García de la Lastra cuando un aparatoso «ostento» la hizo volar por los aires.

¿Que ya estoy otra vez mezclando churras con merinas? ¿Que Gervasio es un amigo de «papel» y José María Ferrández lo es de carne y hueso? Sí, claro. ¿Y…?

¿No he venido repitiendo y recalcando, hoja tras hoja, que para mí todos son iguales, que todos son reales y auténticos?

Pero hoy me toca hablar, ya lo he dicho, de Luis María Ferrández y del puñado de amigos que me han acompañado siempre, hombro con hombro, por las calles y plazas de Valladolid, y que también me acompañaron el otro día en mi cumpleaños.

Manolo, el poeta, fue uno de ellos. Aunque de Manolo ya he hablado antes. Y le he dado esa particularidad porque la tiene y se la merece. Manolo fue y es único, singular como lo son en general los poetas. Pero también el resto de mis amigos vallisoletanos lo son. Singulares, digo. Todos ellos.

Y voy ahora mismo a nombrarlos uno por uno, ya que todos vinieron a felicitarme en mi centésimo aniversario. Ellos son: Julio, Eduardo, dos Pepes (Franch y Quintana), Vicente, Antonio y Luis María, que ya lo he nombrado varias veces.

¡Lo que habré jugado yo con esta pandilla, sobre todo en mis años infantiles! Como decía mi madre, que se llamaba María, no había para nosotros horas suficientes en el reloj para jugar a todo jugar. Yo cuando la oía se me ocurría pensar que en los relojes, sobre todo en los de pared, estaban metidas y almacenadas todas las horas de la vida de una persona.

Pero sí, mi madre tenía razón: para nosotros no había horas suficientes para dedicarlas a jugar.

La otra tarde, en mi fiesta de cumpleaños, recordamos juntos algunos de aquellos lejanos pero inolvidables juegos.

Por ejemplo, las peleas de castañas en el Campo Grande. ¡Lo que pudimos reírnos recordando las guerras a castañazo limpio! Unas veces eran entre nosotros mismos, entre los amigos divididos en dos bandos; y otras veces contra cuadrillas de chicos del barrio o de otro barrio. Estas segundas eran las mejores, por descontado.

Las castañas del Campo Grande eran castañas amargas, castañas locas, como las llamaba todo el mundo. Porque, según decían los mayores para asustarnos, si te comías una, solo una, te volvías majareta. Más aún, loco de remate.

Pero con lo que más nos reímos en mi fiesta de cumpleaños del otro día, fue cuando a Vicente Presa se le ocurrió recordar lo del castañazo en toda la cara al director de la banda municipal. Ocurrió más o menos así: un domingo de otoño, mientras la banda municipal daba un armonioso y sonoro concierto en el templete del Paseo Central, andábamos nosotros a castañazos contra otra pandilla de un barrio vecino. Y fue entonces cuando un chico del bando rival, orejudo y pelón, disparó una castaña hacia el templete de música, acertándole en toda la cara al director de la banda. Estaba claro que lo había hecho intencionadamente, pero Miguel y yo —añadió Vicente Presa refiriéndose a él y a mí—, que lo habíamos visto bien visto, no dijimos ni esta boca es mía al guardia municipal que nos agarró a ambos por las orejas, culpándonos de que habíamos sido nosotros.

—¿Te acuerdas, Michi? —me preguntó Vicente.

—Anda que si me acuerdo —respondí yo—. Pero es que entonces era una ley de honor no chivarse, no acusar a nadie aunque fuera un rival.

Y casi al final de la fiesta, otro de los amigos, de mis grandes amigos, Eduardo Gavilán, empezó a recordar nuestros tiempos de ciclistas. Y no sé si por homenajear al cumpleañero, que era yo, recordó sobre todo la fama que adquirí, en aquellos remotísimos años, como escalador. Sí, sí, como escalador. Emulando a los grandes reyes de la montaña en el Tour de Francia o en la Vuelta Ciclista a España. La prueba reina para nosotros era entonces la empinada cuesta de Boecillo, un pueblo cercano a Valladolid.

Escalada que, modestia aparte, siempre o casi siempre la ganaba yo. Y empezó a correrse la voz, el infundio sería mejor decir, de que Delibes gozaba de facultades físicas especiales para subir y coronar cimas mejor que nadie.

—¿Era así, Michi, estabas especialmente dotado para las escaladas? —me preguntó a bocajarro Julio Pérez Villanueva—. Han pasado muchos años desde aquellas competiciones ciclistas juveniles y a lo mejor ha llegado la hora de que nos reveles...

Le corté cariñosamente en seco, a Julio, digo, y me dispuse a cortar la tarta de cumpleaños, de mi centésimo cumpleaños, que acababan de ponernos delante.

Y cuando ya todos se fueron de la fiesta y me quedé solo, me volvió al pensamiento la explicación que debía y debo a mis amigos en relación al secreto, a mi secreto de gran e imbatible escalador ciclista...

Me estoy riendo para mis adentros.

Nota a pie de apunte: he preferido no decirlo hasta ahora, como cierre de este apunte en mi cuaderno de bitácora sentimental, pero Luis María Ferrández, uno de mis amigos más querido y admirado, sí, admirado he dicho, no estuvo en mi fiesta de cumpleaños. No, no estuvo porque no pudo estar. La muerte no le dejó estar. Y me callo. Dando por válido y cierto, eso sí, todo lo escrito hasta aquí, de la cruz a la raya.

9. Mi amiga bicicleta

No, no, por supuesto que en mi fiesta de cumpleaños no hubo ninguna bicicleta invitada.

¿O sí…?

No la hubo físicamente, materialmente. Pero estuvo presente y muy presente en el recuerdo y memoria de todos. De todos mis amigos, quiero decir, y en el mío también. Quedó patente en mi apunte anterior de este cuaderno, ¿no?

Nuestra bicicleta, nuestras bicicletas de niños y jovencitos pedaleadores.

Las evocamos el otro día y por eso mismo he querido dedicarles este apunte amistoso, como si esas máquinas de dos ruedas formasen parte consustancial de nuestro grupo de amigos. Porque tengo que dejar clara desde ahora mismo una cosa: que mis amigos y yo nos pasábamos la mitad de nuestro tiempo libre jugando al fútbol y la otra mitad montando en bicicleta. Dicho queda.

Mi madre solía decir que, si de mí dependiese, me desplazaría en bici hasta de un punto a otro de la casa, de la cocina al cuarto de baño, por ejemplo. Y a veces solía añadir:

—Si estuviera en tu mano, zascandil, comerías y dormirías montado en ese trasto.

Y como yo, toda mi cuadrilla de amigos. Había que vernos, cada uno en su bicicleta y marchando en perfecto escuadrón. Un día se le ocurrió decir a Pepe Quintana que, de haber participado, vamos a suponer, en la conquista de México, seguro que los indígenas nos hubieran tomado, a nuestras bicis y a nosotros montándolas, por extrañas y mitológicas criaturas con ruedas. ¡Lo que nos pudimos reír con la ocurrencia! Y además desde aquel día, todavía marchábamos más en formación, más en orden de combate.

Porque además, como recordamos el otro día en mi fiesta de cumpleaños, en aquellos remotos tiempos apenas circulaban coches por las calles y nosotros las convertíamos en circuitos ciclistas y hasta en pistas de carreras.

Ah, pero espera, espera: que si acabo de decir que a veces parecíamos un batallón en formación, otras veces parecíamos una *troupe* de circo. Casi todos, ¡bueno, todos!, sabíamos zigzaguear sin manos, encaramarnos en el sillín e incluso manejar el manillar con los pies.

Claro que los números circenses más espectaculares y arriesgados eran cuando cualquiera de nosotros cargaba simultáneamente en la bici a tres de sus hermanos más chicos: uno sentado en el manillar, otro en la barra, y un tercero de pie, sobre las palomillas de las ruedas traseras. ¡Ale hop!

¿Pero es que no había ningún obstáculo, contratiempo o fenómeno natural que nos apease de la bicicleta? ¡Ni por pienso! Ni el frío, ni los vendavales, ni la lluvia ni la nieve podían con nuestra afición ciclista.

¿La nieve he dicho? No había para nosotros disfrute más grande que recorrer en bici los caminillos y veredas del Campo Grande, cubiertos y hasta borrados por una imponente nevada.

Nos inventamos para estas ocasiones dos competiciones diferentes. Dos competiciones «blancas», como las bautizó nuestro amigo Manuel Alonso Alcalde, Manolo, el poeta. La primera consistía, sin más, en correr en bici sobre la nieve y llegar el primero a una meta establecida. Eso sí: cada resbalón o caída se penalizaba con dos o tres puntos menos en el resultado final.

En la segunda competición, sin embargo, contaba más la maña y el equilibrio que la velocidad. Había que recorrer un trayecto procurando que ambas ruedas de la bicicleta, la delantera y la trasera, trazasen un único surco en la nieve. Ganaba aquel que menos «ochos» hacía, como llamábamos los amigos a las marcas que se entrecruzaban en el suelo nevado.

¿Cierro ya este nostálgico apunte ciclista y competitivo?

—¡No, Michi, no! —Es Antonio Iribarren quien ahora ha saltado—. ¡No quieras escabullirte sin aclararnos el secreto de tu fortaleza física y de tus triunfos en las escaladas!

Yo me he quedado mirando a los ojos a Antonio, luego he hecho otro tanto con el resto de mis amigos presentes en mi fiesta de cumpleaños, incluido Manolo, el poeta, y al final me he explicado de esta manera:

—No hay ni hubo ningún secreto, queridos amigos. Lo que hay y hubo es un truco, una artimaña. La estrategia consistía en aparentar que las cuestas arriba no me suponían mayor esfuerzo. ¿Y qué hacía yo para eso?

»Si os acordáis, a pesar de tantísimos años transcurridos, yo os dejaba pasar al iniciar la cuesta, y luego, cuando notaba que estaban empezando a fallaros, a flaquearos las fuerzas, yo os alcanzaba y rebasaba pedaleando a todo ritmo. Pedaleando como un loco y mostrando al mismo tiempo cara de palo, e incluso una media sonrisa cínica y burlona en los labios.

»¿Pero creéis y creíais entonces que no me costaba el esfuerzo? Como a cualquiera de vosotros. Era solo una pose, una máscara. Porque ahora os contaré el desenlace de cada una de aquellas etapas de... montaña. En cuanto llegaba en solitario a lo más alto, lo primero que hacía era tumbarme boca abajo y sujetar el corazón contra el suelo para que no se me escapara del pecho. O sea, queridos amigos, que yo era un farsante... ¡o vosotros unos inocentones sin remedio por no descubrir mi truco!

Soltamos todos una gran risotada —hablo de hace unos días, en mi fiesta de cumpleaños— y no hubo ni uno solo de mis amigos, de mis viejos e irrepetibles

amigos, que no me palmeara en la espalda o me diese un apretado abrazo. Pero no solo mis ocho amigos de carne y hueso, sino asimismo los de ficción, mis amigos de papel allí presentes: dígase Pedro, el melancólico, o Daniel, el Mochuelo, o el Nini, o el Senderines, o Isidoro con su cara de pueblo; o Gervasio, con sus erizados pelos del cogote; y también otros que aún no he nombrado, pero que ya irán saliendo...

10. Quico, el pequeño príncipe

Fue Quico, sin ninguna duda, el amigo más chico que tuve y he tenido en mi vida.

Quico,

mi amigo más chico.

¡Si lee este ripio mi admirado Manolo, el poeta, me mata!

Cuando yo conocí a Quico, el niño tenía tres o cuatro años, no me acuerdo bien. Y luego no es que fuéramos grandes amigos como los que acabo de mencionar, primero por la diferencia de edad y segundo porque Quico es un amigo de libro, de papel, no de carne y hueso como cualquiera de aquellos.

Pero me apetecía mucho invitarlo a mi centésimo cumpleaños por dos motivos fundamentales: el primero porque era y ha sido el amigo más cariñoso y revoltoso de cuantos he conocido nunca.

Y es que tengo que decir que Quico era mi vecino, puerta con puerta del mismo rellano de escalera, y como a su mamá Merche no le importaba ni le molestaba que yo entrara en su piso cuando me viniera en gana, allí que me tenían cada dos por tres.

¡La de horas que me habré pasado riéndome con las ocurrencias y trastadas del pequeño Quico!

Sí, sí, lo reconozco y lo confieso, he sido siempre muy niñero, a mí los niños chicos me suscitan mucha ternura. Y mucho asombro también. Y me suscitan asombro porque ellos mismos son puro asombro y sorpresa.

Te plantas delante de un niño chico y no sabes de qué se va a sorprender y asombrar él, ni cómo o con qué te va a sorprender y asombrar a ti.

Quico se asombraba de todo y todo lo preguntaba y repreguntaba machaconamente. Hasta hartar a los mayores. Menos a su hermano Juan, tres años mayor que él, ni a mí. A mí tampoco me hartaba ni me molestaba el pequeño Quico, al contrario, me divertía.

Y me divertían sobre todo sus ocurrencias y sus inventos. Inventos o trastadas, tanto da cómo llamarlos.

El tubo de pasta de dientes se transformaba, en manos de Quico, en un avión, en un barco, en un tren.

¿En un tren? Un día me contó Merche, su madre, que había sacado el niño las cajas de zapatos de todos los armarios y había construido un tren que llenaba el pasillo principal de la casa, y anda que no era largo ni nada.

Su imaginación, la imaginación de Quico es que no tenía límites. Un día transformó su triciclo, con el que recorría la casa de punta a cabo y sin parar, lo convirtió, digo, en una moto. Y en consecuencia la «moto» necesitaba gasolina. ¿Y qué se le ocurrió, entonces, al pequeño Quico? Convierte la ducha en manguera de surtidor, abre el grifo y simula llenar el depósito de su «moto» con el agua que fluye a chorro limpio.

¿Resultado? El suelo del baño y parte del pasillo aledaño, encharcados.

Pero he dejado escrito líneas atrás que había un segundo motivo para invitar a mi cumpleaños a Quico, a mi pequeño amigo Quico.

Y este motivo era su desamparo. Quico se había convertido, no hacía tanto, en un príncipe destronado. Justamente desde que llegó al mundo su hermana Cristina. Había pasado de ser el centro de las atenciones y carantoñas de toda la familia, a ser el segundón. El postergado, el casi, casi ignorado. ¡Según él sin casi, casi! ¡Absolutamente!

Y fue entonces, a partir del nacimiento de su hermana Cris, cuando se consagró en cuerpo y alma a llamar la atención. Como fuera. Incluso de la forma más dramática, más trágica, más... teatral.

Un día se tragó un clavo.

Dijo, tan terne, que se había tragado un clavo.

—Mamá, me he tragado un clavo.

El susto de los sustos, el sobresalto total, la alarma de toda la familia. Particularmente de Merche, la madre del niño. Urgentemente al médico. Un médico amigo. Mil preguntas al pequeño de cómo y de cuándo. Sondeos, inspección meticulosa. «Pues no se ve nada, Merche». Provocación al vómito. Nada. El clavo no sale.

El clavo no existe. Quico no se ha tragado ningún clavo.

Los príncipes destronados no se resignan así como así. Los príncipes. Por eso he titulado este apunte «Quico, el pequeño príncipe». Iba a añadir «desamparado», «el pequeño príncipe desamparado», pero no, mejor así. A los príncipes no hay que ponerles ningún apelativo. Son siempre príncipes. Aunque un día lleguen a ser destronados.

11. Mis siete hermanos y yo, ocho

Por supuesto que he invitado a mi fiesta de cumpleaños a mis siete hermanos. Que conmigo sumamos ocho. Ocho hermanos Delibes.

Ocho hermanos que, unidos, «pueden conquistar el mundo».

Tales palabras escribí yo mismo —no hará falta recordar que he sido y soy escritor— en la dedicatoria de una de mis novelas. Se la dediqué a mis hermanos y hasta los nombré uno por uno: Adolfo, Concha, José Ramón, Federico, María Luisa, Manuel y Ana María.

Cuatro varones (conmigo cinco) y tres mujeres. Yo fui el tercero de la prole, después de Adolfo y Concha y delante de José Ramón.

Y debo dejar bien sentado que los ocho hermanos nos hemos llevado siempre muy bien. Si no quieres y distingues a tus propios hermanos, a quién vas a querer y distinguir. Ese fue nuestro lema, eso hemos pensado siempre todos.

Aunque en aquellos entonces había una mayor separación entre chicos y chicas, y cada grupo hacía más causa común con sus congéneres. Que mis tres hermanas se entendían mejor entre ellas y los cinco chicos mejor entre nosotros, eso quiero decir.

Y por otro lado, ocho vástagos en un mismo espacio cerrado, sean chicos o chicas, y más aún todos revueltos, pueden constituir legión, y no pocas veces legión incontrolable.

Así es que nuestra buena y paciente madre perdía alguna vez su natural bondad y su natural paciencia, nos ponía a todos en fila e iba propinándonos pescozones uno tras otro. Y si alguno se quejaba de no merecerlo, mi madre tenía siempre la respuesta en la punta de la lengua:

—¡Para cuando lo has merecido y no te lo he dado!

Y otras veces aún hilaba más fino: «¡Para cuando lo merezcas!», (el cachete, se entiende).

El otro día, en mi centésimo cumpleaños, recordábamos todos con ternura a nuestra madre María y sus pescozones.

—Alguna disciplina había que imponer —comentó, nostálgica y risueña, mi hermana Ana María, la más pequeña de los hermanos—; si no la casa se convertía en una grillera.

¿Grillera dijo, en mi cumple, mi hermana Ana María? Oír esta palabra y ponernos todos a recordar, alborotadamente, a nuestro padre fue todo uno.

Mi padre, nuestro padre, fue un hombre ante todo y sobre todo campero. Hombre de aire libre, hombre de naturaleza. El medio natural era su forma de vida

preferida. Y por eso salía al campo todos los fines de semana, hiciera frío o calor. Y conforme fue teniendo hijos, nos iba incorporando a sus excursiones campestres. Y a casi todos, lo que más nos gustaba, a mí particularmente, era cuando íbamos a atrapar grillos. Buscábamos con mucha atención las pequeñas madrigueras, introducía nuestro padre una larga paja de cebada y los grillos salían, asustados y desorientados, para caer en nuestras manos.

Pero con lo que más nos reímos la otra tarde fue recordando qué hacía nuestro padre con las presas, con los grillos. Se los colocaba cuidadosamente en la cabeza, bajo el sombrero que siempre llevaba cuando salía al campo, y así regresábamos a casa, él y quien ese día le acompañara, mientras los grillos no paraban de alborotar. Todos los transeúntes con los que nos cruzábamos se nos quedaban mirando, con cara de asombro y sin adivinar de dónde podía proceder semejante concierto.

Los que sí lo adivinaban, la procedencia del alboroto, digo, eran los vecinos de nuestra casa. Porque es que nuestro padre había construido una grillera de tres pisos, con seis apartamentos, que a partir del mes de mayo se colmaba de negros y monótonos insectos cantores, enervando y enfureciendo con su algarabía a todo el vecindario.

Nuestro padre nos enseñó también a todos, a todos sus hijos, a nadar. Cada verano le tocaba a uno, fuera chico o chica. El método siempre era el mismo, que también lo recordamos, entre risas y nostalgias, en mi reciente cumpleaños: nos amarraba una cuerda larga y resistente a la cintura, y desde un alto de la orilla del río nos lanzaba al agua con un empujón en la espalda. Y siempre con los mismos consejos y advertencias:

—¡No dejes de bracear y procura hacerlo acompasadamente!

—Yo aprendí a nadar, bueno, al menos a flotar, en una semana —dijo la otra tarde mi hermano Federico.

—Pues yo... Y yo... Y yo...

Cada uno fuimos proclamando, ¿alardeando?, nuestro tiempo de aprendizaje, sin que los demás nos lo creyésemos del todo.

Ah, pero eso sí: mi padre cronometraba escrupulosamente el tiempo de inmersión y no permitía que sus aprendices permaneciésemos más de un cuarto de hora seguido en el agua.

¡El método es el método!

12. Mi fiel amigo *Boby*

He puesto *Boby* en letra cursiva, pero no es porque sea un mote. Es el nombre de mi amigo, de un nuevo amigo. De mi amigo de cuatro patas, que no lo he podido traer a mi cumple porque murió hace ya largo tiempo. Ya se sabe que los perros mueren... No sigo porque me estoy emocionando.

No ha podido estar físicamente, pero ha estado en el pensamiento y el cariño de todos. Porque a nuestro fiel amigo *Boby* lo conocimos todos y todos jugamos con él.

Pero como el que está celebrando su centésimo cumpleaños soy yo, voy a hablar de mi relación y trato con el *Boby*.

El *Boby* era un perrazo perdiguero con una fuerza descomunal. Cuando se ponía de pie, con las dos zarpas en mis hombros, apenas podía soportar su empuje y los dos rodábamos por el suelo entre risas y ladridos.

El *Boby* era un perro cazador, y había domingos en que acompañaba yo a mi padre, como morralero, en su jornada de caza, y me gustaba y divertía acechar los gestos y movimientos del animal. Me conocía de memoria todas sus posturas y evoluciones. E incluso a veces, según mi padre, las imitaba yo mismo sin darme cuenta.

Entre el *Boby* y yo, hubo siempre, en efecto, una gran complicidad y compenetración. Yo al perro, a mi querido amigo de cuatro patas, le ordenaba lo que tenía que hacer con una voz, con un silbido e incluso con un simple gesto, con una mueca.

Y siempre, pasado ya el tiempo, mucho tiempo, me he preguntado a mí mismo quién de los dos, si el *Boby* o yo, era más feliz en el campo y en plena naturaleza. No atino a responderme.

Pero es el caso que, unas veces era yo y otras veces era él, el *Boby,* emprendíamos una loca carrera sin ton ni son, y siempre el otro respondía a la iniciativa sin pensárselo dos veces. Saltábamos setos, matorrales, zanjas, ribazos, riachuelos... Y al final de la alocada galopada, ambos acabábamos con la lengua fuera. ¡La del *Boby* más larga y babeante que la mía, por descontado!

Mi amigo *Boby,* cuando solo íbamos de marcha sosegada, solía caminar un metro o dos por detrás de mí, como si fuera mi guardaespaldas y estuviera alerta para intervenir en caso de cualquier peligro.

Por eso llegué un día a la conclusión, o al menos a la sospecha de que el *Boby* pensaba y sentía.

—Este perro tiene los ojos tristes —le dije una tarde a mi padre, ya de regreso a casa. Observó él atentamente al animal y puntualizó:

—No es tristeza, Miguel, es melancolía.

Era tal mi afecto y sintonía con el *Boby*, que me hacía intuir cualquier maña o artimaña del animal. Y adivinar cualquier contratiempo en su salud.

Todo ocurrió al final de un verano. Se le clavaron e infectaron varias espinas en las patas, apareció luego una erupción escamosa en las articulaciones, y un día, un mal día, me lo encontré tirado en el suelo, abatido, y como dejándose morir. Me tumbé a su lado, le acaricié la cabeza y el lomo, estuve un buen rato susurrándole palabras de cariño y sobre todo de aliento, pero no hubo nada que hacer. Murió de viejo y de enfermo.

Con mis hermanos y hermanas, presididos por nuestro padre, lo enterramos en un lugar muy querido por él, y sobre el túmulo colocamos una cruz de palo. Con su nombre grabado a navaja.

Y fue entonces cuando caí en la cuenta de que coger afecto, demasiado afecto a algo o a alguien, lleva consigo una profunda tristeza y desolación cuando se pierde. Incluso un amargo dolor.

Y también me percaté de que aquel dicho de que «el perro es el mejor amigo del hombre» se cumplió en mí recíprocamente: yo fui a mi vez, o al menos lo intenté con toda mi alma, el mejor y más fiel amigo de mi fiel perro *Boby*.

13. Mi pacífico amigo Pacífico

Hay nombres o apellidos que contradicen a todas luces a las personas que los llevan. Hay quien se llama Justo y la injusticia es su ley de vida; quien se apellida Rubio y es moreno, o Gallardo y es contrahecho, o Valiente y es cobarde, o Gordo y es flaco como un lapicero. Sin embargo, no ocurre así con mi amigo Pacífico. Su nombre cuadra a las mil maravillas con su persona y personalidad. Que el nombre le viene como anillo al dedo, vaya.

Pacífico Pérez —que tal es su nombre y apellido— fue una persona ingenua y pacífica a más no poder. Y también un ser de una enorme hipersensibilidad.

Y lo fue ya desde niño. Que fue cuando yo lo conocí. Luego lo perdí de vista, nuestros caminos se separaron, pero hace días, cuando preparaba mi lista de invitados para mi centésimo cumpleaños, me acordé de él no sé bien por qué. Y él aceptó venir a mi fiesta.

Aunque estuvo solo un rato, un ratito sería mejor decir. Se disculpó y se marchó.

Es muy tímido, muy apocado, el bueno de Pacífico Pérez. Aunque he de aclarar que se trata de uno de mis amigos de papel, de libro, como vengo llamando a los que no son de carne y hueso. Pero aún y todo, yo lo considero como uno de mis amigos preferidos, posiblemente por la ternura que me suscita. Me pasa algo parecido que con el Senderines, aquel niño flacucho, también personaje de libro, tratando de encajar los pantalones a su corpulento padre muerto.

Pacífico Pérez tuvo una niñez muy traumática, no me gusta mucho la palabra, pero no se me ocurre ahora mismo otra mejor. Bueno sí, tal vez desgraciada, tal vez triste. Él mismo le confesó, años más tarde, a un médico que nada más nacer tuvo conciencia de la crueldad del mundo y quiso volver a meterse en el seno materno, refugiarse de nuevo en el vientre de su madre. Es muy sensible el bueno de Pacífico, pero que muy sensible. Cuando iba de niño con su abuelo a pescar truchas, cada vez que el *abue,* que así le llamaba el niño, prendía una con el anzuelo, a él, a Pacífico, se le hinchaban los labios y no aguantaba de dolor.

Y otro tanto ocurría cuando veía podar algún árbol, una higuera mismamente. ¡A Pacífico se le inflamaban los dedos de las manos y se le ponían como morcillas!

Y aún diré más: muchas veces notaba una bombilla dentro del pecho, digamos que una bombilla en lugar del corazón. Y entonces el pobre chico tenía que andarse con sumo cuidado para que no se le quebrase la bombilla.

Pero todo esto tenía una explicación: la hipersensibilidad de Pacífico contrastaba frontalmente con la agresividad y beligerancia de sus allegados varones: el *bisa,* el *abue* y su propio padre.

Ellos tres, desde muy chico, lo único que pretendían era hacer del niño un buen soldado, un aguerrido soldado tan pronto llegase su guerra. Porque todo varón tenía su guerra, una guerra en la que tomar parte. Una guerra como la que ellos mismos habían tenido, cada uno la suya, y como la habían tenido también todos sus antepasados. *Las guerras de nuestros antepasados,* dicho bien y pronto.

Y tal fue el ambiente bélico que vivió y respiró el bueno de Pacífico Pérez desde su niñez, que hasta había veces que el *bisa* o el *abue* disparaban una escopeta de caza a la vera de su cuna para que el niño se fuera «haciendo».

Menos mal que en el seno de su propia familia tuvo Pacífico alguien que contrarrestase un poco tanta agresividad. Y ese alguien fue su tío Paco. Un alma de Dios. La bondad y la sabiduría personificadas. Pacífico, siempre que podía, se escapaba a su casa y le escuchaba ensimismado.

Y en el poco rato que estuvo el otro día en mi cumpleaños, le oímos decir una de las cosas más hermosas que habíamos escuchado nunca:

—Mi tío Paco —dijo Pacífico, evocador y con una media sonrisa en los labios— «mi tío Paco me enseñó a mirar, que hay cosas que uno tiene delante de las narices y, por lo que sea, no las ve. Yo aprendí a mirar y de solo ver el mundo yo me sentía como otro, que a días, a saber por qué, me entraba la tristeza y hasta sentía ganas de llorar. Lo mismo que cuando subíamos los días calmos a ver alentar las chimeneas, que mi tío Paco me decía que el humo de las chimeneas era como la vida, que te pones a pensar y nada hay más cierto».

Tal dijo Pacífico Pérez el otro día. Luego nos dio la mano uno por uno, se disculpó y se marchó.

Nos quedamos todos pensativos un rato con lo que acabábamos de oír, y nos costó bastante volver al ambiente festivo de una celebración de cumpleaños, de mi cumplesiglo...

14. Sisí y Luis María, dos amigos y una guerra

Uno de papel, de libro, Sisí Rubes; y otro de carne y hueso, Luis María Ferrández. Los dos amigos míos, y los dos con una tragedia en común: la guerra. Otra vez la guerra, lo mismo que en mi apunte anterior sobre Pacífico Pérez. ¿Va a resultar cierto, como decían el *bisa* y el *abue* de Pacífico, que todo hombre tiene asignada una guerra? ¿Una guerra en la que participar?

Sisí y Luis María la tuvieron. Y ambos murieron en esa guerra, en la misma guerra. Y por eso ninguno de los dos pudo estar en mi fiesta de cumpleaños del otro día.

Aunque estuvieron en la memoria de todos los presentes. Los evocamos, los lloramos y maldijimos la guerra que los había matado, sin tener ellos culpa de nada. Fue en la guerra que los manuales de historia han dado en llamar guerra civil española.

Sisí Rubes se llamaba de verdad Cecilio, pero como de muy pequeño le llamaban en casa Cecilín, y él, tratando de balbucir su nombre lo convirtió en Sisí, con Sisí se quedó de por vida.

No es un personaje de libro muy... atractivo que digamos; al ser hijo único fue un niño consentido, mimado, caprichoso y exigente.

Pero lo tengo en mi lista de amigos literarios y ya está. Además, murió en la guerra y esa muerte, prematura (solo tenía 18 años), irracional e injusta, lo redime de todo y lo convierte en víctima, en una víctima digna de piedad y de cariño. El mío lo tiene y lo tendrá siempre. Mi querido Sisí...

¿Y qué decir de Luis María? Luis María Ferrández fue de aquellos amigos de ver, tocar y abrazar, que convivió conmigo cuando ambos teníamos trece, catorce, quince, dieciséis años. Él y yo y todos mis otros amigos de carne y hueso que rondábamos esa misma edad. Y éramos aquellos que nos pasábamos la mitad de las horas del día jugando al fútbol y montábamos en bicicleta la otra mitad. ¡Qué despreocupados y felices éramos entonces!

Pero hete aquí que un día, un aciago día de un caluroso mes de julio, llegó la guerra a la ciudad. Por las calles de Valladolid comenzaron a verse los más variados y variopintos episodios y comportamientos: en previsión de posibles bombardeos, se apilaban sacos terreros contra las fachadas de los comercios, iglesias, escuelas y edificios públicos; los cristales y las lunas de los escaparates se cruzaban con grandes equis de papel adhesivo, a fin de protegerlos y mitigar las vibraciones violentas de las bombas; muchachas y mujeres jóvenes recorrían las calles y plazas recaudando donativos para comprar un avión de vigilancia y defensa aérea de la ciudad.

Y entonces mi madre, precisamente para evitar que anduviéramos zascandileando por las calles, llenas de acechanzas y hasta de posibles peligros, nos cedió y acomodó una buhardilla a mis amigos y a mí, donde reunirnos y pasar las horas hablando de nuestras cosas y jugando.

¿Jugando a qué? ¿Al parchís o los dados? ¿Al tute?

¡Al póquer!

Aquella cuadrilla de amigos convertimos aquel sotabanco que tan generosa e ingenuamente nos había acondicionado mi madre, en un antro de juego, en un tugurio de empedernidos adictos al póquer. No, no exagero nada.

Únicamente Luis María Ferrández se entretenía en otra ocupación muy diferente. Tenía un abuelo marino y fue quien le enseñó a construir y ensamblar maquetas y barcos de marquetería.

Casi sin darnos cuenta, la buhardilla se fue convirtiendo en su taller de manualidades y en escaparate de exposición de sus veleros, fragatas, galeones, carabelas, bergantines y hasta buques de guerra.

Pronto, no pocos de nosotros fuimos dejando de lado la baraja de póquer y convirtiéndonos en ayudantes y aprendices de Luis María. Y en atentos oyentes, también, de historias marineras que nuestro amigo nos contaba, historias y aventuras que antes le había narrado a él su abuelo marino.

Porque siempre se ha dicho que para las gentes de tierra adentro, mesetarias como todos nosotros, el mar, el lejano y arcano mar, ha ejercido un atractivo especial y a veces irresistible.

Y fue en esa buhardilla de la calle Colmenares de Valladolid, número 10, para más señas, donde nació en algunos de nosotros nuestra vocación marinera.

Pero como es de mi amigo Luis María de quien ahora estoy hablando, seguiré con su historia hasta el final. Con su triste y trágica historia.

Luis María Ferrández se alistó en la Armada, le destinaron al crucero Baleares, buque de guerra de renombre, y en junio de 1938 llegó la noticia de que había sido torpedeado y hundido por el enemigo. Dos torpedos habían hecho blanco en la santabárbara del navío, y otro más en los depósitos de combustible.

Hasta que no llegaron las listas de supervivientes, todos abrigábamos la esperanza de que nuestro amigo estuviese en tales listas. Eduardo Gavilán, incondicional del grupo de amigos vallisoletanos, llegó a decir: «Si al irse a pique el buque ha podido saltar al agua, seguro que se ha salvado. Ferrández nada mejor que Tarzán».

Pero nuestro amigo no constaba en las listas de supervivientes del crucero Baleares. La guerra lo había matado.

La misma guerra en la que había muerto también mi amigo Sisí Rubes, y de la que su padre, el padre de Sisí, había dicho tras conocer la muerte de su hijo: «La guerra es desolación, hambre y ruina. ¡Me cago yo en la guerra!». Textual.

15. Cipriano, mi último amigo

Pues sí, Cipriano, Cipriano Salcedo, fue el último amigo que tuve en la vida. El último.

Fue un amigo literario, de ficción, de los que vengo llamando también amigos «de papel», «amigos de libro».

Cipriano también murió de forma violenta, lo mismo que mis amigos Luis María Ferrández y lo mismo que mi amigo Cecilio Rubes, Sisí, como todos le llamábamos.

La única diferencia es que Cipriano no murió en una guerra, como les ocurrió a Luis María y a Sisí. Cipriano murió condenado a muerte y quemado en una hoguera muy cerca del Campo Grande, el parque de Valladolid que tantas veces vengo mencionando en estos recuerdos biográficos.

Condenaron a muerte a Cipriano y lo ejecutaron quemándolo vivo. Y no porque hubiera cometido ninguna fechoría, ni mucho menos, fue únicamente por pensar de distinta manera que aquellos que prendieron la hoguera.

Le tiembla a uno el alma solo de pensarlo.

Aunque todo esto ocurrió hace muchísimo tiempo, hace quinientos años, casi nada.

Pero así y todo, yo le invité a mi cumpleaños porque Cipriano fue, y lo es todavía, un amigo a quien siempre he querido, y nadie puede imaginarse cuánto. Y eso a pesar de ser un amigo de ficción y aun cuando vivió y murió hace tantísimo tiempo.

¿Porque sabes una cosa, amigo lector de estos papeles? Que en la amistad no cuenta el tiempo. La amistad borra distancias geográficas y también distancias temporales. Puede ser uno amigo de alguien que vive a mil kilómetros de distancia o a quinientos años del calendario.

Y aún diré más: así como Luis María Ferrández y Cecilio Rubes no asistieron a mi fiesta de cumpleaños por haber muerto en una guerra que no hacía tanto tiempo que había ocurrido, Cipriano Salcedo, sin embargo, sí que pudo venir. Y vino.

Porque yo lo invoqué y llamé de allende los siglos, y él asistió presto a mi invitación.

Aunque eso sí: tuvo la gentileza de hacerlo con la misma edad que el resto de los asistentes a la fiesta. Se hizo coetáneo nuestro, para decirlo bien y pronto.

Y al igual que con los demás amigos evocábamos aquellos felices años de nuestra niñez, otro tanto hicimos con Cipriano. Nos pusimos de acuerdo él y yo para dejar de lado los trágicos años en que le acusaron de *hereje*, le encarcelaron y torturaron como hereje y le quemaron vivo como hereje, y decidimos quedarnos con los luminosos años de Cipriano niño y muchacho, con sus manifiestas e incontenibles ganas de vivir.

Él mismo me lo pidió así nada más entrar por la puerta de mi casa:

—Vamos a olvidarnos de todo lo triste, incluso de que nací huérfano, pues mi madre murió al darme a luz, y recordar solamente lo bueno y lo alegre.

—Pues tú dirás —asentí yo, devolviéndole de nuevo la palabra.

Y Cipriano, que había llegado con el semblante un tanto sombrío y la mirada triste, cambió de repente, se le iluminaron los ojos y ya no paró de hablar. A cada minuto con mayor entusiasmo y regocijo.

Era un muchachito muy temperamental, muy seguro de sí mismo, y aunque pequeño de estatura, se le veía recio, nervudo, fortachón.

Y de ello hizo gala precisamente, sin dejar de reírse, cuando se arrancó a contarnos sus andanzas y lances en el Hospital de Niños Expósitos, donde le internó su padre, don Bernardo Salcedo, con trece años de edad.

Nos lo contó Cipriano más o menos así:

—Aquel colegio era para niños abandonados y pobres. Yo no era ninguna de las dos cosas, pero mi señor padre me metió allí mitad para que me metieran en vereda, como él dijo, mitad como castigo y escarmiento por haber sido la causa de la muerte, en el parto, de su esposa.

Me llamaba con frecuencia «pequeño parricida», como si yo no fuera el primero en lamentar y llorar, cuando fui consciente de ello, la muerte de mi bendita madre.

Cipriano se detuvo un instante, se frotó los ojos como si tratase de disimular una lágrima, se rehízo y siguió hablando y contándonos:

—Pero dejémonos de penas y lamentos. Estuve tres años en el internado de Niños Expósitos y siempre los recordé luego con nostalgia. Me lo pasé bien allí, qué queréis que os diga. Hice muy buenos amigos. Como Tito Alba, o el Obeso, o el Niño... También algún que otro adversario, pero incluso eso tenía su atractivo, por qué no.

»Lo que había que hacer era no dejarse amedrentar, y menos pisotear, por los gallitos y fanfarrones. Que alguno había entre los más de cincuenta colegiales que éramos en el hospicio. Uno había particularmente engreído y faltón. Lo llamábamos todos el Corcel. Porque en el colegio todos teníamos un mote.

—¿Y cuál era el tuyo? —preguntó entonces alguien de los asistentes a la fiesta de mi centésimo cumpleaños.

—A mí me llamaban Mediarroba. Por lo esmirriado y poca cosa que aparentaba ser físicamente. El apodo me lo puso precisamente el Corcel, nada más echarme el ojo encima.

»Y he dicho «que aparentaba» porque la realidad era muy diferente. Como bien lo demostré un día en el patio del colegio. En una pelea con el mismísimo Corcel.

»El Corcel se metía con todo el mundo, pero muy especialmente con el Niño. De quien abusaba con harta frecuencia, y no quiero ser más explícito.

»Hasta que un día salí en su defensa y le solté al Corcel en la cara que si volvía a avasallar al Niño tendría que vérselas conmigo.

»La carcajada de aquel chulo malandrín resonó en todo el internado. Y me retó para el siguiente recreo.

»Los cincuenta colegiales hicieron corro en derredor nuestro, y hasta el mismísimo prefecto, don Lucio el Escriba, como le apodábamos, no quiso perderse el espectáculo.

»El Corcel se plantó frente a mí, con su desgarbada y amenazante envergadura, y yo, el Mediarroba, le aguanté las bravuconadas y amenazas sin mover una ceja. La estampa era la misma que la de David y Goliat que venía en el libro de Historia Sagrada.

»Y también esta vez venció el pequeño David. Fui yo el vencedor. Yo, el Mediarroba, y no es por dármelas de valiente, fue todo cuestión de estrategia. Mi rival era fornido pero lento y desmanotado. Yo, por el contrario, era ágil y flexible. Minervina decía que yo tenía espinas en lugar de huesos.

»Dejé que el Corcel se abalanzase contra mí como un ciclón, y yo solo tuve que aguantar la embestida estirando mis dos brazos y adelantando mis dos puños. Pequeños pero duros como piedras.

»Las narices del Corcel se estrellaron contra ellos y el matón comenzó a sangrar a chorro limpio. Cayó al suelo y don Lucio, el Escriba, ordenó entonces detener la pelea y retirar al Corcel para curarlo en la enfermería.

»Todos los colegiales me rodearon, alborozados, y hasta había quien me palpaba los brazos gritando: ¡Mirad, mirad, el Mediarroba tiene bola!

Cipriano Salcedo guardó silencio repentinamente, bajó un momento los ojos, y nos miró luego a todos los invitados uno por uno.

Y yo, Miguel, narrador de esta fiesta y de esta historia, tengo que añadir que no sé cómo fue el alborozo, el alboroto y los vítores de los colegiales del Hospital de Niños Expósitos, hace como quinientos años; pero lo que sí sé y de lo que puedo dar testimonio es de los vítores y felicitaciones que recibió Cipriano, mi amigo Cipriano, en la fiesta de mi centésimo cumpleaños.

Aunque a mí aún me quedaba una pregunta que hacerle. Y fue esta:

—Has dicho hace un instante, Cipriano, que fue una tal Minervina quien llegó a decir que tu esqueleto no era de huesos sino de espinas, como el de los peces… ¿Quién era la tal Minervina?

Cipriano esbozó una tímida sonrisa, abemoló la voz y contestó, casi en un susurro:

—Minervina, Minervina Capa, fue mi nodriza, la que me amamantó y cuidó de mí tras la muerte de mi señora madre. Fue la persona a la que más quise a lo largo de mi azarosa vida. Y también ella a mí. Solo te contaré, solo os contaré un pormenor de mi relación con ella. Fue en el Tribunal de la Inquisición.

»Después de mi ajusticiamiento y ejecución quemado en la hoguera, en 1559, el Tribunal llamó a declarar a Minervina Capa y ella, cada vez que aludía a mí, cada vez que se refería a mi persona, ¿sabéis cómo me llamaba?

Todos nos quedamos expectantes.

—Pues me llamaba «mi niño». Así mismo, «mi niño». Y así está recogido en las actas del solemne juicio inquisitorial. Y hasta llegó a decir, escuchadme bien, llegó a decir que ella hubiera accedido a morir en mi lugar si se lo hubiesen pedido.

Esa fue Minervina, Minervina Capa, natural de Santovenia de Pisuerga, muy cerca de Valladolid.

Epílogo

Cien años no se cumplen todos los días. Y Michi Delibes acaba de cumplirlos.

Nació en 1920 y en 2020 ha cumplido cien años. Él mismo acaba de contarnos su fiesta de cumpleaños, de su centésimo cumpleaños. Una fiesta rodeada de todos sus amigos, unos de carne y hueso y otros de papel, de libro, como él mismo ha venido llamándolos a lo largo de estos apuntes.

Pues ahora, atento lector, vas a permitirme explicarte algunos pormenores, hitos, sucesos, personas y escenarios que han ido saliendo en el relato del pequeño Miguel y que te ayudarán a entender mejor, eso creo al menos, lo que hasta aquí has leído.

¿Cómo? ¿Que quién soy yo? Otro amigo más de Michi Delibes. A quien ha pedido que revise y ordene un poco estos apuntes, y escriba al final estas líneas que estoy escribiendo. Las dividiré en varios epígrafes.

VALLADOLID

Casi todo lo que cuenta el pequeño Miguel en estos apuntes ocurre en Valladolid. Ciudad donde él nació, donde él vivió siempre y donde él murió.

Por eso dijo una vez: «Soy como un árbol, que crece allí donde lo plantan».

Valladolid, además, y por extensión Castilla entera, serán el motivo y el escenario de toda la literatura de Michi Delibes, convertido luego en el escritor Miguel Delibes.

También lo dijo él: «Cuando yo tomé la decisión de escribir, la literatura y el sentimiento de mi tierra se imbricaron. Valladolid y Castilla serían el fondo y el motivo de mis libros».

Miguel Delibes en un banco junto a su casa natal de Valladolid y frente al parque del Campo Grande.

Prácticamente todas sus novelas tienen escenarios y protagonistas vallisoletanos o castellanos. Y también en no pocos de sus libros de ensayo y artículos de prensa defendió siempre a su tierra y denunció la marginación y el abandono que esta ha padecido durante tantos años, por no decir siglos.

Miguel Delibes es, sin duda, el novelista de Castilla.

El Campo Grande

Y en Valladolid está también el parque municipal de El Campo Grande. Escenario principal de no pocas andanzas, correrías y hasta travesuras del niño y joven Miguel y de su cuadrilla de amigos.

En el Campo Grande montaban sus peleas de «castañas locas»; en el Campo Grande organizaban sus carreras de bicicletas, sin nieve o con nieve en los senderos; en el paseo central del Campo Grande jugaban sus interminables partidos de fútbol; en el Campo Grande se declaró Miguel Delibes a su novia y luego esposa Ángeles; y por los jardines y veredas del Campo Grande pasean no pocos de los personajes de las novelas y cuentos del escritor.

Y hasta él mismo, el novelista, frecuentó y paseó este hermoso parque durante toda su vida, casi a diario, y dejó dichos y escritos numerosos elogios sobre él. Me quedo con dos:

«Quisieron los hados que yo naciera frente al Campo Grande, el parque de mi ciudad, seguramente porque desde que abrí los ojos necesité de amplios espacios para respirar».

Esta segunda alabanza se la escuché yo mismo, paseando ambos en torno a la Fuente de la Fama:

«—Campo Grande es para mí uno de los lugares preferidos del mundo entero.

—¿Del mundo entero? —le apostillé yo, entre asombrado e incrédulo.

—Eso he dicho: del mundo entero. De niño y también ahora de viejo».

La guerra

En los apuntes que anteceden, escritos por el pequeño Miguel contándonos su fiesta de cumpleaños, de su centésimo cumpleaños, se menciona con cierta reiteración, sobre todo en los apuntes finales, la guerra.

Los manuales de historia la llaman guerra civil española, y duró de 1936 a 1939. En ella lucharon españoles contra españoles y, casi por azar, a unos les tocó en un bando y a otros les tocó en el contrario. Miguel Delibes escribió mucho contra esta guerra, que él calificó de fratricida, de hermanos contra hermanos.

Alguno de sus amigos, de los amigos de Michi, por ejemplo Luis María Ferrández, y alguno de los personajes de ficción de sus novelas, por ejemplo Sisí Rubes, murieron en esta cruel y maldita guerra.

El Tribunal de la Inquisición

Si Cipriano Salcedo, amigo literario del niño Miguel, es el más veterano de cuantos amigos se dan cita en la celebración de su centésimo cumpleaños —Cipriano nació en 1517—, también el Tribunal de la Santa Inquisición es una antiquísima institución del siglo xv, fundada por los Reyes Católicos en 1478, para defender la fe y la ortodoxia católicas.

La Inquisición perseguía y encarcelaba a los que consideraba herejes, como Cipriano Salcedo, los sometía a un juicio, denominado auto de fe, en una plaza pública, y los condenaba a ser quemados vivos en una hoguera también pública.

El auto de fe que Miguel Delibes narra en su novela *El hereje* —la última novela que escribió y publicó (1998)— tuvo lugar en la plaza Mayor de Valladolid, y el quemadero de los reos condenados se alzaba en lo que ahora llamamos Paseo Central del Campo Grande.

Miguel Delibes Setién

Miguel Delibes Setién ha sido uno de los más grandes escritores españoles del siglo XX. Fue antes que nada novelista: publicó su primera novela en 1948, *La sombra del ciprés es alargada,* y la última, *El hereje,* medio siglo más tarde, en 1998.

Veinte novelas en total, pero además escribió y publicó cuentos, libros de viajes, libros de naturaleza, libros de caza y pesca y libros de pensamiento.

Y Miguel Delibes fue también periodista. Una referencia en el periodismo español de su tiempo. Dirigió el periódico *El Norte de Castilla* de Valladolid, y como en aquella época de posguerra regía una estricta censura de prensa y los periódicos estaban controlados por las autoridades del bando que había ganado la Guerra Civil, Delibes luchó con todas las fuerzas, e incluso con no pocas artimañas, para conseguir poco a poco la mayor libertad de expresión posible en aquellas circunstancias tan adversas.

Su independencia de pensamiento, su postura ética y crítica frente a los abusos del poder, siguen siendo hoy un modelo a seguir.

Subrayaré finalmente que Delibes, periodista y escritor, desde el periodismo y desde la literatura, fue siempre un defensor acérrimo de la naturaleza y muy crítico contra los abusos y violaciones del medio natural por parte del hombre y de lo que él llamó el falso progreso.

Michi, el pequeño Miguel, ha cumplido un siglo. Su obra literaria, imperecedera, seguirá cumpliendo años y siglos mientras haya lectores fieles que la sigan leyendo y disfrutando.

RAMÓN GARCÍA DOMÍNGUEZ

Miguel Delibes de niño (primero por la izquierda) en la playa de Suances, con sus padres y varios hermanos.

Foto familiar: don Adolfo y doña María rodeados de sus ocho hijos. Miguel es el que está junto a su madre.

Año 1947, Miguel Delibes acaba de ganar el Premio Nadal,
con su primera novela *La sombra del ciprés es alargada.*

Amigo de los animales,
Miguel Delibes juguetea
con una jineta.

El novelista asomado al portón
de su casa veraniega de Sedano, Burgos.

Dos notas finales

Los personajes de ficción, todos niños o muchachos, que Michi Delibes considera amigos suyos e invita a su fiesta de cumpleaños, de su centésimo cumpleaños, están sacados de las siguientes novelas:

PEDRO, mi amigo melancólico
   Protagonista de la primera novela *La sombra del ciprés es alargada* (1948).
DANIEL, el Mochuelo
   Protagonista de *El camino* (1950).
El NINI sabelotodo
   Protagonista de *Las ratas* (1962).
El SENDERINES y su corpulento padre
   Protagonista de *La mortaja* (1957).
ISIDORO con su cara de pueblo
   Personaje principal de *Viejas historias de Castilla la Vieja* (1964).
GERVASIO y su *ostento*
   Protagonista de *Madera de héroe* (1987).
QUICO, el pequeño príncipe
   Protagonista de *El príncipe destronado* (1973).

Mi pacífico amigo PACÍFICO
  Protagonista de *Las guerras de nuestros antepasados*
  (1975).
SISÍ
  Protagonista de *Mi idolatrado hijo Sisí* (1953).
CIPRIANO, mi último amigo
  Protagonista de *El hereje* (1998).

Por otro lado, la evocación y perfil de otros «amigos» como la bicicleta, el perro *Boby,* los hermanos y amigos de carne y hueso del escritor Delibes, están libremente sacados del libro *Mi vida al aire libre,* de *Cuadernos de campo,* e incluso de conversaciones del autor de estas páginas con el novelista.

Y en todo caso, el acercamiento y glosa de todos estos personajes «delibeanos», solo tiene como objetivo incentivar y fomentar la curiosidad del ahora joven lector para convertirlo en futuro y ferviente lector adulto de la literatura de Miguel Delibes.

Los breves párrafos transcritos entre comillas en los capítulos 2, 3 y 13, reproducen párrafos textuales de sendos libros del escritor castellano.